SOY DE PUEBLO

MANUAL PARA SOBREVIVIR EN LA CIUDAD

CON...

¡¡MODERNA DE PUEBLO!!

SOY DE PUEBLO

MANUAL PARA SOBREVIVIR EN LA CIUDAD

POR...

RAQUEL CÓRCOLES
&
MARTA RABADÁN

Lumen

Tercera edición: junio de 2016
Cuarta reimpresión: enero de 2019

Printed in Spain - Impreso en España

ISBN: 978-84-264-0194-6
Depósito legal: B-445-2015

Compuesto en M. I. Maquetación, S. L.
Impreso en Talleres Gráfiscos Soler, S. A.
Esplugues de Llobregat (Barcelona)

H 4 0 1 9 4 6

Penguin
Random House
Grupo Editorial

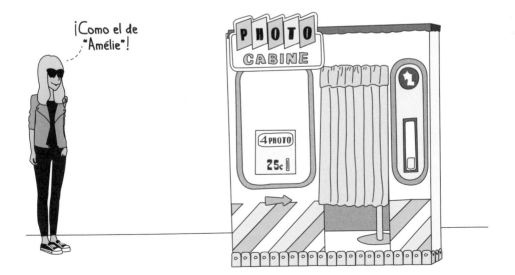

1. UN FUTURO PROMETEDOR

Eres de pueblo si naciste en un lugar donde no hay Corte Inglés.

QUIÉN HUBIERA IMAGINADO QUE DESPUÉS DE
POCO MÁS DE UN AÑO EN LA CIUDAD...

...viviría en un hotel de
lujo con un excelente servicio
de habitaciones que me traería
el desayuno a las once de la mañana
mientras redactaba
la columna más
leída del país.

QUE EN TAN POCO TIEMPO HABRÍA
VIVIDO SITUACIONES QUE ME HARÍAN GRITAR:

Y HABRÍA SIDO DETENIDA TRES VECES POR LA POLICÍA
POR SER LA LÍDER DEL MOVIMIENTO CONTRACULTURAL
MÁS IMPORTANTE DESDE LA MOVIDA MADRILEÑA.

ERA DIFÍCIL DE IMAGINAR QUE YO, UNA CHICA DE PUEBLO TAN DE PUEBLO, RECIBIRÍA EL

PREMIO A LA PERSONALIDAD DEL AÑO

CON TOTAL UNANIMIDAD POR PARTE DEL JURADO Y DE LA PRENSA.

Muchas gracias, sin vosotros nada de esto hubiera sido posible.

CELEBS ★

Escándalo
La pareja de moda vuelve a dar que hablar

ABRIL 70

Y QUE MÁS TARDE OCUPARÍA LAS PORTADAS DE TODOS LOS PERIÓDICOS Y REVISTAS AL EMPEZAR UNA RELACIÓN TORMENTOSA CON ESE

CANTANTE DE ROCK

TAN CONFLICTIVO QUE, SEGÚN LOS COMENTARISTAS DE LOS PROGRAMAS DEL CORAZÓN, ME HABÍA INFLUIDO TAN NEGATIVAMENTE.

TODO ESO, POCO TIEMPO DESPUÉS DE DESPEDIRME DEL QUE FUE

El amor de mi vida

CON QUIEN ME REENCONTRARÍA 15 AÑOS DESPUÉS, YA QUE
POR MOTIVOS QUE SOLO NOSOTROS DOS SABÍAMOS,
NO PODÍAMOS CONTINUAR JUNTOS.

¡Siempre nos quedará el Skype!

NADIE SE LO
HABRÍA IMAGINADO...

EXCEPTO YO, CLARO.

QUE EN LAS TRES HORAS
DE VIAJE YA ME HABÍA
MONTADO MIL PELÍCULAS
SOBRE LA FASCINANTE VIDA
QUE ME ESPERABA EN...

NO TENÍA CLARO
QUE TODO ESO
ME LLEGARA A PASAR
PERO ESTABA CONVENCIDA
DE QUE HABÍA UN LUGAR
EN EL QUE NUNCA
ME SUCEDERÍA
NADA PARECIDO:
EL PUEBLO.

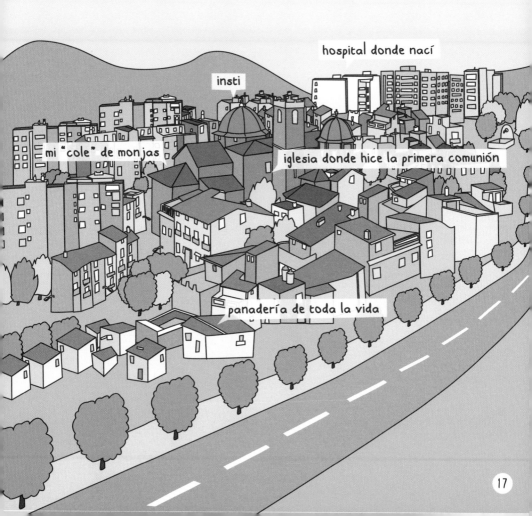

ASÍ QUE LLEGUÉ
DECIDIDA A
TRIUNFAR EN
LA CIUDAD.

Mi exmaleta.

POR SUERTE, HABÍA QUEDADO CON UN AMIGO
QUE TAMBIÉN ACABABA DE MUDARSE.

AL PRINCIPIO FLIPÁBAMOS CON LA GENTE QUE VEÍAMOS EN EL METRO.

2. LA REALIDAD

Si te preguntan de dónde eres no digas
el nombre de tu pueblo, di la provincia.
Aunque a ti te parezca
el epicentro del mundo,
la mayoría no lo conoce.

POR FIN CONSEGUIMOS LLEGAR A NUESTRO PISO COMPARTIDO.
CREÍAMOS QUE SERÍA COMO EL DE "FRIENDS".

AUNQUE PRONTO VIMOS QUE NO SE LE PARECÍA MUCHO.

Ajá...

¿El vecino de abajo
ha apagado el wifi?

Y NO SE SOLÍA REPARAR

Vaya,
la última bombilla
que quedaba...

LO QUE TENÍA CLARO ERA QUE HABÍA VENIDO A LA CIUDAD PARA ENCONTRAR
TRABAJO DE PERIODISTA. ASÍ QUE ESTABA DISPUESTA A ENCONTRARLO.

PERO AL VER EL PANORAMA, NO ME QUEDÓ MÁS
REMEDIO QUE BUSCAR UNAS PRÁCTICAS.

CUANDO ME DIJERON QUE HABÍA SIDO SELECCIONADA SENTÍ QUE AQUELLA PODÍA SER LA GRAN OPORTUNIDAD DE MI VIDA.

¡He pasado las pruebas! ¡Trabajaré en Telecinco!

¡MAMÁ!

Mira, como Belén Esteban.

<u>CON TANTA EMOCIÓN NO ME FIJÉ MUCHO EN LAS CONDICIONES DEL CONTRATO.</u>

¿Dónde dijo que se ingresaban estos cheques?

cheques gourmet

PERO NADA CONSIGUIÓ QUITARME LAS GANAS DE SEGUIR ESFORZÁNDOME.

¡Me han dicho que están muy contentos conmigo y que me renuevan 6 meses más!

Pero... ¿te van a pagar?

← PREGUNTA MÁS REPETIDA DE LA HISTORIA.

COMO LA ECONOMÍA FAMILIAR TIENE UN LÍMITE, TUVE QUE BUSCAR
UN SEGUNDO EMPLEO. TRAS MANDAR CIENTOS DE CURRÍCULUMS,
SOLO ME LLAMARON DE UN SITIO:

3. CONTRADICCIONES

Muy de ciudad
para ser de pueblo,
y muy de pueblo
para ser de ciudad.

¡Ya No Necesito a Ningún Hombre!

*Momentos después de montar sola
mi nueva cama de matrimonio

AL PRINCIPIO, A MIS PADRES NO LES HACÍA MUCHA GRACIA QUE VIVIERA CON CHICOS.
Y AL FINAL, A MÍ TAMPOCO...

37

Supongo que sabes que las
fantasías que firma Marta (Alicante)
las escribe Manolo (Madrid), ¿no?

Lo que no
sabía es que
los "Manolos"
fueran unos
zapatos.

Y QUE UNA PARECIDA A ESTA PARA CHICAS SERÍA INIMAGINABLE.

FHM.es

FHM

FOR HER MAGAZINE

MARZO 2011 2,80€

¡CÓMO CONVENCERLE PARA GRABAR UN VÍDEO CASERO!

Ayuda en casa
Pequeños gestos que él agradecerá

Especial vecinitos
Móntatelo en la escalera

20 EXCUSAS para verle menos y salir con tus amigas

Evita el orgasmo precoz

James Franco
'Siempre duermo desnudito'

CÓMO ACOSTARTE CON 10 TÍOS EN UN FIN DE SEMANA

Calva y orgullosa

8001402451

41

CUANDO IBA AL PUEBLO COMPENSABA LA SOBREACTIVIDAD
QUE VIVÍA EN LA CIUDAD.

Como quieren que vuelvas, los padres te lo permiten todo.

PERO A MÍ YA ME HABÍA ATRAPADO LA MODERNIDAD DE LA CIUDAD...

VISITAS

APARTE DE OBLIGARME A PATEAR TODA LA CIUDAD Y HACERSE FOTOS EN LOS MONUMENTOS DE SIEMPRE, DAN LA NOTA CUANDO LES PRESENTAS A TUS AMIGOS.

Y SI LA AMIGA DE LA CIUDAD VA DE VISITA AL PUEBLO AÚN LA DA MÁS.

CUANDO UN DOMINGO, ABURRIDA, TE PONES A MIRAR
EL ÁLBUM DE FOTOS DE TUS PADRES CUANDO ERAN
JÓVENES, TE DAS CUENTA DE QUE LADY GAGA
TAMPOCO ES TAN EXTRAVAGANTE...

C'est la mode

Tanto reírte y ahora vais igual que yo.

Fotos de ti

camisa vaquera + jersey XXL

borrego

hombreras

cintura alta

falda de tubo

leggins con estampados dudosos ¬¬

Del álbum:
Fotos de Muro por Moderna de Pueblo

NO TENGO MUY CLARO QUIÉN DICTA LAS MODAS.
PERO QUIEN LAS DICTA EN LA CIUDAD NO ES EL MISMO
QUE EL QUE LAS DICTA EN EL PUEBLO.

MIENTRAS QUE EN LA CIUDAD SE
ESFUERZAN PARA QUITARSE AÑOS
CON LA ROPA, EN EL PUEBLO ALGUNOS
JÓVENES VISTEN COMO MAYORES.

4. MODERNOS DE PUEBLO

Cuando te mudas por primera vez necesitas
1 maleta. Cuando te mudas por
segunda vez necesitas
3 camiones.

CADA VEZ TENÍA MÁS AMIGOS
Culturetas

*Helvética Neue: única tipografía aceptada por ellos.

ELLOS ME HICIERON TOMAR CONCIENCIA DE QUE TENÍA QUE CULTURIZARME.

PERO CON EL TIEMPO LES COGÉIS CONFIANZA.

*Todos tenemos un grupo o cantante que nos gusta pero que no incluimos en la lista de reproducción pública del Spotify.

MUCHOS DE ESTOS AMIGOS SON
DISEÑADORES GRÁFICOS
Y LO SABEN TODO SOBRE SUS HÉROES.

Paul Rand

Don't try to be original, just try to be good

Con 21 años ya era director de arte de la revista ESQUIRE.

A esta edad, nosotros tenemos que trabajar de camareros para intentar pagar algún día un máster de diseño.

Creó algunos de los logos más importantes de hoy en día.

Cuando le preguntaron si el diseño moderno había muerto respondió:

"YO SIGO VIVO." (Murió en 1996)

David Carson

Sus diseños son un caos y, cuando vino al "MadinSpain", demostró que él también.

3=E
5=S

CAR5ON 35 3L CULPABL3 D3 QU3 LA G3NT3 35CRIBA 5U5 35TADO5 D3L M3553NG3R A5í.

Alex Trochut

Este diseñador catalán es admirado por sus trabajos en todo el mundo y, encima, no se lo tiene nada creído.

Y PENSAR QUE ESO LO HICE EN MI CUARTO...

ADEMÁS, TRABAJAN CON GENTE TAN CRACK COMO:

Vicente García

CUANDO MIRO AL CIELO, VEO UN DEGRADADO DE PHOTOSHOP.

Él ha contribuido a que carteles de salas como Charada sean considerados referentes en diseño.

Abel Martínez

Ha sido director de arte en Domestika.

En un viaje a Tailandia se adentró en un mercadillo y, mirando entre las camisetas, ¡encontró uno de sus diseños!

Y, CÓMO NO, ESTÁ LLENO DE

ARTISTAS

QUE TIENEN EL PODER DE HACER DE CUALQUIER ACTO COTIDIANO UNA EXPERIENCIA TOTALMENTE DIFERENTE.

AMAIA ARRAZOLA

BONITA CHICA

BRAIS GEN

CLARA ASANZA

SARA LÓPEZ DÍAZ

¿Dónde está la tele?

He hecho una performance tirándola por el balcón.

MISHIMA

ÁNGELA LOSA

JESÚS MASSÓ

Esto es lo que puede pasarte si compartes piso con alguno.

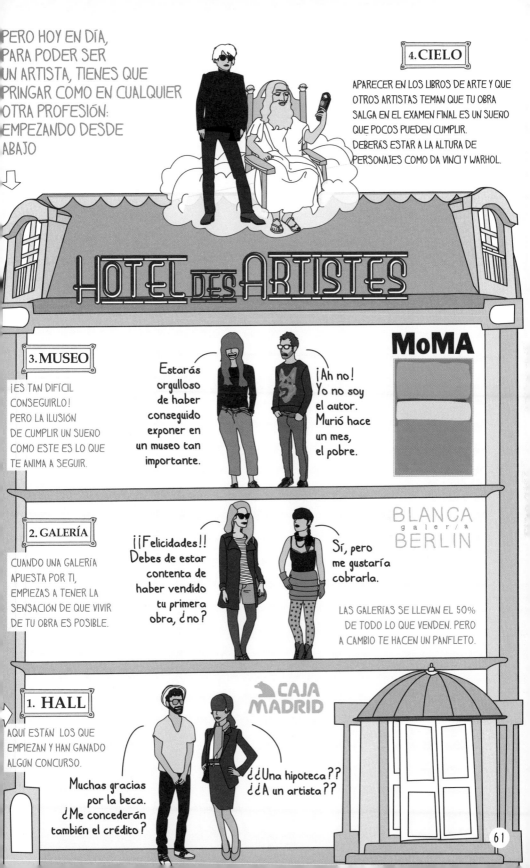

MEGAVIDEO

Vídeos   Premium

YOU HAVE READ TOO

PLEASE WAIT

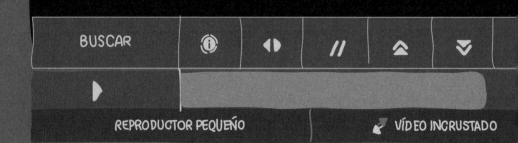

BUSCAR

REPRODUCTOR PEQUEÑO   VÍDEO INGRUSTADO

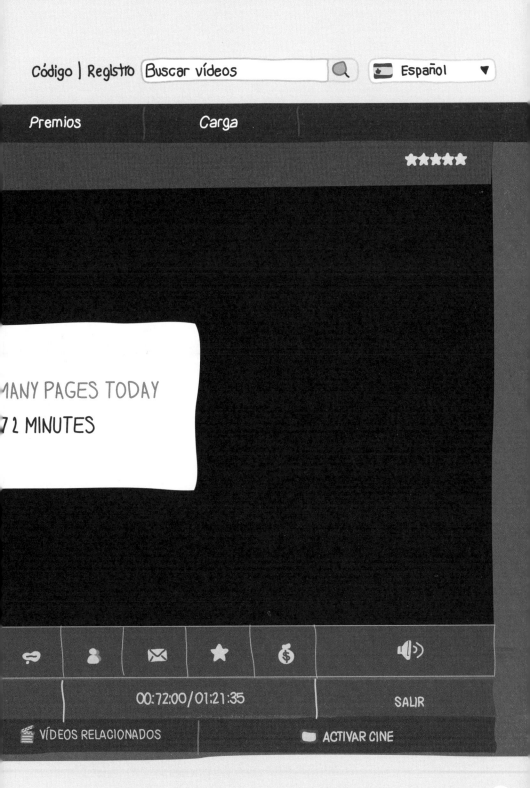

*Comentario que solo es gracioso en tu cabeza.

INAUGURACIONES MÁS 'CHIC'

Ahora, abrir un "bar-restaurante-galería-boutique de ropa" es "lo más de lo más".

¿Una copa de vino?

Somos los menos modernos del local...

*Obviamente la cool-people acude porque hay bebida y comida gratis. Son igual de "cutres" que el resto.

Esta chica tiene un cuerpo increíble pero se viste de esta forma porque no quiere que la gente la valore sólo por su físico. Los modernos en realidad son muy poco vanidosos. Si lo fueran, no irían así.

PERO LO QUE ES IMPRESCINDIBLE EN ESTAS FIESTAS SON LOS
FAMOSOS MÁS COOL DE INTERNET

Modernos que se han dado a conocer por sus blogs.
Los invitan a fiestas y les ofrecen proyectos para que cuelguen
las fotos en su visitadísimo blog.

katelovesme.net

dulceida.com

leblogdebetty.com

bryanboy.com

hermanasmiranda.es

mrjuancocco.blogspot.com

Bloggers de Moda

lyona
(MARTA PUIG)

👍 Así sí

PUEBLO
ESPARRAGUERA.

WEB
WWW.LYONA.CAT

CITA DESTACADA
"ME GUSTARÍA PARECERME
A LA CANTANTE DE TEXAS
PERO CREO QUE A QUIEN
ME PAREZCO ES A MI MADRE"

ES UNA REALIZADORA, DISEÑADORA Y ARTISTA EN GENERAL QUE HA SABIDO EXPLOTAR DE LA MEJOR MANERA LAS POSIBILIDADES INTERNÁUTICAS QUE TODOS TENEMOS AL ALCANCE. SE MONTA MUCHAS PELÍCULAS EN LA CABEZA Y ESO SE NOTA EN LAS QUE RUEDA. REFERENCIAS: MICHEL GONDRY, SPIKE JONZE, KIKE MAÍLLO.

"¡QUÉ GRAN MUNDO DE POSIBILIDADES EL DE INTERNET!
¡CUÁNTAS PUERTAS NOS PUEDE ABRIR!"
... LO HEMOS OÍDO MIL VECES, PERO HAY BASTANTE GENTE
QUE LO HA APROVECHADO.

AMLUL.COM
(GALA GONZÁLEZ)

👎 Así no

PUEBLO:
A CORUÑA

WEB
AMLUL.COM

CITA DESTACADA:
"¿QUIÉN NO QUIERE VERSE
EN LA PORTADA DE 'VOGUE'?"

GALA ES UNA CHICA CON MUCHO FONDO. AL MENOS DE ARMARIO. ES LO QUE
SE DENOMINA UNA IT GIRL, ES FAMOSA POR HACERSE FOTOS TODOS LOS DÍAS
CON LA ROPA QUE LLEVA. SUS MODELITOS SON LOS MÁS COMENTADOS
DE LA RED Y SU BLOG TIENE MILES DE VISITAS DIARIAS.

ES MUY FÁCIL DEJARSE INFLUIR POR LOS BLOGS DE MODA

THE SARTORIALIST

DOMINGO 4 DE ENERO DE 2015

Jean Paul (Berlín)

PANTALONES:
ENCONTRADOS EN LA BASURA
RELOJ: CARTIER
LO MEJOR: LLEVAR AL PERRO
COMO BOLSO-COMPLEMENTO.
LO PEOR: ¿CÓMO QUE LO PEOR?
¡SI ES LO MÁS!*

*Así piensan los creadores
de este tipo de blogs y los
coolhunters.

Y HACEN QUE ECHES DE MENOS A LAS DEPENDIENTAS PESADAS DE TU PUEBLO.

CLUB MÁS COOL

SON CLUBS QUE TIENEN
UN NOMBRE PARA CADA DÍA
DE LA SEMANA. EN TEORÍA
DICEN QUE ES PARA DIFERENCIAR
LA SESIÓN DE CADA NOCHE,
PERO LO CIERTO ES
QUE LO HACEN PARA QUE
LOS MODERNOS NO SIENTAN
MONOTONÍA EN SUS
FASCINANTES VIDAS.

SIEMPRE ENCUENTRAS DOS COLAS: LOS QUE ESTÁN EN LISTA Y LOS QUE NO

Adivinad en cuál estamos...

Entonces te mandan mails anunciando todas
sus sesiones (que acaban convirtiéndose en spam).

PRIMERO CREES QUE
PARA "ESTAR EN LISTA" TIENES
QUE SER IMPORTANTE.
¡PERO NO! SÓLO TIENES QUE
MANDAR TU NOMBRE Y EL NÚMERO
DE ACOMPAÑANTES POR MAIL.

ejemplo:
"MODERNA+5"

PORTEROS
LOS ÚNICOS NO MODERNOS DEL LOCAL

1

¿POR QUÉ HAY PORTEROS EN LOS LOCALES DE MODA SI LOS MODERNOS NO SE PELEAN? EN REALIDAD NO ESTÁN PARA VIGILAR QUE NO SE LLENE EL LOCAL SINO PARA QUE SIEMPRE HAYA COLA (QUE ES LO QUE LE DA IMAGEN Y CACHÉ).

¿Puedes dejar entrar a alguien? Nos estamos aburriendo...

¡Eh! Detrás de la línea por favor.

¿Pero qué línea?

←Línea imaginaria que solo ven los porteros.

UN DÍA LE LLAMAN DE UN LOCAL MÁS GRANDE,

ENTONCES ETIQUETA A TODOS SUS AMIGOS EN SU PRIMER CARTEL.

FASE 2.

PASA A SER ASPIRANTE A DJ.

DJ. SAUSAGE

Ahora es uno de los que pincha en un local conocido en la ciudad, pero no fuera. Es imprescindible que su nombre tenga como mínimo una palabra en inglés. Solo pincha canciones de moda.

Fotos tuyas
Foto 8 de 363 Fotos en las que apareces
Anterior Siguiente

VIERNES NOCHE
NASTY MONDAYS
BARCELONA
DJ SAUSAGE

En esta foto: DJ SAUSAGE (fotos | elimina | etiqueta), Moderna de Pueblo y 1539 personas más etiquetadas

POCO A POCO VA ESCALANDO

Me gustan tus pintas. ¿Te metes conmigo?

Claro, ¡gracias!

Y DESPUÉS DE ADQUIRIR LA EXPERIENCIA SUFICIENTE...

Me gustan tus pintas, y te metiste conmigo. ¿Quieres pinchar en mi local?

Claro, ¡gracias!

FASE 3.

NUESTRO AMIGO CONSIGUE SER DJ RESIDENTE

DJ. SAW AGE

Pincha una o varias noches a la semana en el local de moda más importante de la ciudad. Nunca le pidas una canción, para él es un insulto que conozcas algún disco de los que lleva en su maletita vintage.

FASE 4.

Y POR FIN: ¡¡DJ INVITADO!!

SAVAGE

El crack máximo, que solo acude si se lo pagan todo o si es un festival de moda. Su nombre debe denotar que no es una persona normal y corriente. Pincha sus propias remezclas.

TILLATE

TRABAJAN A CAMBIO DE:
- ENTRAR SIN PAGAR EN EL LOCAL DE MODA
- RELACIONARSE CON TODOS LOS MODERNOS

¡Esas sonrisas!
¡Un poco más
falsas, plis!

Su efecto fotográfico preferido son
los rayos de luz. Para compensar
las caras de "no lo he pasado
tan bien en la vida" de algunos.

Su intensa amistad ha surgido en
el baño, cuando una le ha dejado
su barra de labios Russian Red
a la otra. En cuanto el fotógrafo
dé media vuelta, no se volverán
a dirigir la palabra.

TODOS
QUIEREN SER
GERARD
ESTADELLA

icanteachyouhowtodoit
.com

Porque en realidad el objetivo no es solo hacer fotos
de los más modernos y famosos, sino salir junto a ellos.

79

5. A PRIMERA VISTA

"No importa cómo te llames en el DNI, importa cómo te llamas en Facebook".

CUANDO TE MUDAS A LA CIUDAD ES
INEVITABLE PENSAR QUE ENTRE TANTA GENTE
ENCONTRARÁS A ALGUIEN... Y EN MI CASO,
QUE TENGO TANTA IMAGINACIÓN,
PENSABA QUE ENCONTRARÍA

¡El Amor De Mi Vida!

TE ENAMORAS CADA VEZ QUE SUBES AL METRO

*Solo por mi parte,
claro.

TE CRUZAS CON MIL PERSONAS HIPERINTERESANTES PERO
NUNCA MÁS LAS VUELVES A VER. Y SI ALGÚN DÍA TE FIJAS
EN ALGUIEN Y TE LO ENCUENTRAS OTRA VEZ, PIENSAS QUE

estáis predestinados

LA INVESTIGACIÓN
⇒ POSFLECHAZO →

TODOS NOS ESFORZAMOS POR DAR UNA BUENA IMAGEN EN NUESTRO PERFIL,

¡Nooooooooo! ¡Tiene una foto sin camiseta!

Y encima es una autofoto en el baño.

Y ES QUE LAS Fotos DE PERFIL MERECEN SER ANALIZADAS.

Por la Moderna de Pueblo

🏷 Etiquetar las fotos

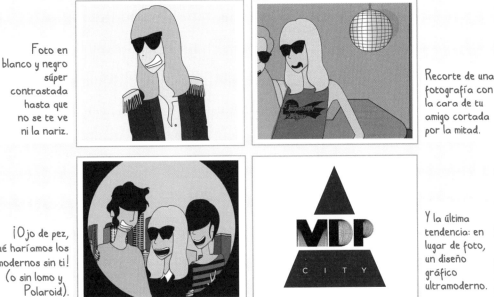

Foto en blanco y negro súper contrastada hasta que no se te ve ni la nariz.

Recorte de una fotografía con la cara de tu amigo cortada por la mitad.

¡Ojo de pez, qué haríamos los modernos sin ti! (o sin lomo y Polaroid).

MDP CITY

Y la última tendencia: en lugar de foto, un diseño gráfico ultramoderno.

* Inspirado (es decir copiado) de Alex Trochut.

TODOS ESTAMOS MUY EN CONTRA DE PORTALES DE CITAS DE INTERNET COMO MEETIC,

PERO LUEGO CONTROLAMOS NUESTRO PERFIL DE FACEBOOK COMO SI SIRVIERA PARA ESO.

faceb♥♥k. Buscar 🔍 Inicio Perfil Cuenta

¿Qué estás pensando?

Nos hacemos fans de los grupos más graciosos y originales.

*Pensando que así lo somos nosotros.

Pérdida inmediata de la dignidad al engancharse en el pomo de una puerta.

👍 Me gusta

Emitir ruidos de anciano al sentarse e incorporarse.

👍 Me gusta

Sustituir en moderno ¿WTF? por ¿Qué diantres?

👍 Me gusta

Señoras que no saben que son protagonistas en la red social.

👍 Me gusta

Somos tres y con Harrison Ford.

👍 Me gusta

Está claro que hay grupos que NO son recomendables si quieres dar una imagen de persona equilibrada mentalmente y satisfecha emocionalmente.

Si la vida te da la espalda, tócale el culo!! (GRAN FILOSOFÍA DE VIDA)

Me gusta - Comentar - Comparte

(Ejemplo de grupo creado para echar indirectas a alguien que tienes agregado.)

A los que hablan a mis espaldas, GRACIAS, ¡es señal de que estoy por delante!

Me gusta - Comentar - Comparte   (TANTO RENCOR NO ES BUENO PARA LA SALUD...)

Yo también sentí ALGO MÁGICO al abrazar a esa persona especial.

Me gusta - Comentar - Comparte   (TE FELICITO)

¿Te puedo pedir un favor? NO ME FALTES NUNCA.

Me gusta - Comentar - Comparte   (¿TE PUEDO PEDIR UN FAVOR? NO ME AGREGUES NUNCA)

Moderna de Pueblo

*PISTAS FÁCILES PARA DETECTAR ESTE TIPO DE GRUPOS:

ESTÁN ESCRITOS CON MAYÚSCULAS

N TNEN DMSIAD RSPTO X LA ORTGRFIA

DECORAN ♥ LA GRAN ♥ FRASE CON ♥ DIBUJITOS Y ♥ CORAZONCITOS ♥ ♥ ♥ ♥

Moderna de Pueblo ✕   👤 Chat (37)

Romanticrisismo

Los jóvenes de nuestra época flipamos con películas de la Nouvelle Vague, admiramos que nuestros abuelos hayan pasado toda la vida juntos sin estar con nadie más y se nos cae el moquillo cuando vemos el beso de Iker y Sara Carbonero. Pero en el momento de la verdad la locura por amor más grande que nos atrevemos a hacer es enviar la "solicitud de amistad".

SOMOS ROMÁNTICOS QUE NO CREEN EN EL AMOR

Y, COMO NO CREEMOS EN ÉL, NO DEJAMOS QUE PASE.

Mira, yo no quiero nada serio...

¡Genial! ¡Yo soy muy graciosa!

6. FLIPADA DE CIUDAD

"Decir que algo
'está de moda'
está pasado de moda."

95

¡Si te compras el billete para dentro de 2 años te sale a 1 euro!

Perfecto, todo lo que tengo ahorrado y justo cuando me dan vacaciones...

ESTUVE ESPERANDO IMPACIENTE
PARA IR A EMBARCAR

¡Empiezan a hacer efecto
los 3 somníferos!
Justo a tiempo.

¡¡ATENCIÓN!!
El Vueling a Londres
saldrá con retraso.
Estén atentos a los
avisos de megafonía.

Perfecting...

99

LLEGÓ A MI NUEVO DESTINO...

ENTENDÍ QUE POR MUY
COSMOPOLITAS
QUE NOS CREAMOS...

SIEMPRE HABRÁ OTRA CIUDAD
QUE NOS RECUERDE QUE
ÉRAMOS, SOMOS Y SEREMOS...
¡¡DE PUEBLO!!

IRONÍAS MODERNAS

QUE ESTÁN A PUNTO DE PASAR DE MODA.

TIENES QUE ESTAR SIEMPRE CONECTADA

Hola, le llamo de Jazztel para ofrecerle una superoferta de wifi. ¿Usted cuál utiliza?

El del Starbucks.

PONERTE AL DÍA DE LAS NOVEDADES COOLTURALES

Perdona, estamos cerrando.

Vale, vale, ya sigo mañana...

IR A TOMAR COPAS A TODAS LAS INAUGURACIONES

davidelfin

Perdonad pero para estar aquí debéis llevar algo de la marca.

Mi tarifa de móvil es delfín, ¿no te vale?

CONOCER TODOS LOS GRUPOS INDIES

¿Este año cuál te pillarás? ¿El abono del Sónar o el del Primavera Sound?

El abono del metro.

NO PODEMOS VIVIR SIN LEER
LA "MONDOSONORO"...

¿Y QUÉ TAL
EL "TOMBOY"
DE LOS
PANDA BEAR?

AH, NO SÉ.
PERO LES PONEN
4 ESTRELLITAS.

USED VINYL
FINAL SALE

THRILLER · BASSOLOGY OF · DEPECHE · THE CLASH
MILES · JAMES BROWN · THE BEATLES · CREED
BEIRUT · RUSH
DECKIODELAT · BOB DYLAN
KINGS OF · LED ZEPPLIN · JAMES BRO
METALLICA · CHEMICAL
BLONDIE · MOTOWN · OK COMPUTED
NIRVANA
BOWIE · FOUR T
STAR GUITAR
weezer · CLA
JAMES BLAKE

PANDA BEAR
TOMBOY

Al menos, sincero.

Por todas ellas, por favor,
72 MINUTOS DE SILENCIO.

¿ERES UN MODERNO DE PUEBLO?

1 ¿QUÉ GAFAS TIENES?

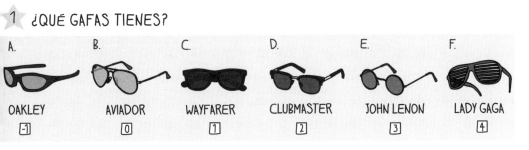

A. OAKLEY `-1`
B. AVIADOR `0`
C. WAYFARER `1`
D. CLUBMASTER `2`
E. JOHN LENON `3`
F. LADY GAGA `4`

2 ¿CUÁLES DE ESTOS OBJETOS CUIDAS CON CARIÑO?

A. 3310 `-3`
B. DISCMAN `-2`
C. PC `-1`
D. CÁMARA LOMO `1`
E. MAC `2`
F. I-PHONE `3`

3 ¿POR DÓNDE SALES?

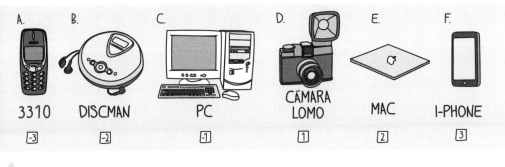

A. PASO LAS NOCHES EN LOS BANCOS DE UNA PLAZA O EN EL BAR DEL PUEBLO. Y LOS DÍAS TAMBIÉN. `1`

B. NASTY MONDAYS BARCELONA — LA RAZZ, EL APOLO, LA SALA SOL, EL WURLITZER, Y SIEMPRE CON LISTA. `2`

C. V.I.P. ONLY — POR FIESTAS EXCLUSIVAS QUE NO CONOCES NI CONOCERÁS NUNCA. `3`

4 NO SERÍAS NADA SIN TU...

A. myspace.com `-1`
B. facebook. `1`
C. W `2`
D. `3`
E. twitter `4`

5 ¿HAS DESARROLLADO ALGUNA ACTIVIDAD ARTÍSTICA COMO HOBBY?

A. ¿SE CONSIDERA ARTÍSTICO PREPARAR UNAS OPOSICIONES? [1]

B. HAGO BROCHES NAIF. ¡SOY TAN AMÉLIE! [2]

C. SOY FOTÓGRAFO, ACTOR, DISEÑADOR, CREATIVO, PINTOR, MÚSICO O DJ, AUNQUE MIENTRAS TRABAJE EN PANS&COMPANY. [3]

D. ¿ESTÁS DE BROMA? ¡YO SOY EL ARTE! [4]

6 ¿TIENES AMIGOS GAYS?

A. CREO QUE MI VECINO LO ES… ¡PERO NO SE LO DIGAS A NADIE! [1]

B. ¡CLARO! ¡ME LLEVO GENIAL CON EL GAY DE MI CURRO! [2]

C. SOLO VOY CON GAYS, LOS "HETEROS" ME DAN ASCO. [3]

D. MI MEJOR AMIGO ES GAY. DORMIMOS JUNTOS Y VEMOS "FAMA". [4]

E. ¡SOY GAY! [5]

7 ¿CUÁLES DE ESTOS BLOGS VISITAS?

8 ¿EN CUÁL DE ESTOS EVENTOS HAS ESTADO?

MENOS DE 10

⭐ DE PUEBLO, PUEBLO...

Al leer el título de este libro has pensado: ¡Como yo! Pero a medida que has pasado las páginas han empezado a aparecer términos como "blazer" o "I-celebrities" que hasta ahora desconocías y que, sin ninguna duda, no necesitas conocer para dormir tranquilo. Nacer donde naciste es lo mejor que te ha pasado, de eso estás seguro.

Y tus amigos de siempre son los que cuentan. A pesar de que algunos se hayan ido a la ciudad y no dejen de hablar de ello, cuando vas a visitarlos te lo pasas genial pero tienes claro que no es mejor que el pueblo. Y por mucho que flipes con las pintas de la gente que ves y con el laberinto de colores del mapa del metro, no lo cambiarías nunca por estar con la gente de siempre y por tu cochecito con el que vas arriba y abajo por donde te dé la gana.

Tú sueñas con tener tu propio pisito cerca del trabajo y la familia, que también decorarás con muebles de Ikea. Y como dicen sus anuncios (y también la frase hecha), no es más feliz el que más tiene sino el que menos necesita.

★ MODERNO DE PUEBLO ★

Sí, efectivamente. Tal y como sospechabas eres un moderno de pueblo.

Por muchas Rayban y pantalones pitillo que lleves, los veinte años que viviste en el pueblo son los que te han hecho como eres. Aunque solo salgas por el barrio de moda de la ciudad, conozcas todos los clubes modernos de la zona y visites las exposiciones de arte más experimentales, tu barrio sigue siendo el de tu pueblo. Y cuando bajas y vas al encuentro trimestral con los de siempre, pasas por la calle de tu colegio, por delante del hospital donde naciste y por el "callejón de los bancos" donde pasabais todas las tardes, fuera verano o invierno, te gusta que todo siga exactamente igual.

Como tampoco quieres que cambien nunca tus amigos de allí, que no saben quiénes son Delorean pero cantan a grito pelado las letras de Extremoduro y Estopa a las 6 de la mañana, que no cambian su birra por ningún cóctel exquisito y que prefieren bailar el SKA de un grupo semidesconocido que toca en el pueblo de al lado a contonearse por una sala mientras suenan los hits más valorados del panorama indie actual. A pesar de eso, y siguiendo con la contradicción de ser moderno y de pueblo, si te preguntan ¿cuándo volverás al pueblo?, en tu interior piensas: NUNCA.

★HIPSTER

El lugar donde naciste no tiene nada que ver contigo. Para ti la vida es la de ahora, la que vives en la ciudad. Seguir las tendencias más extravagantes te sirve para liberarte de lo que piensa toda esa gente que en algún momento intentó inculcarte una forma de vida estándar, lejos de lo que tú querías.

Te gustaría volver a la movida madrileña, haber sido un rockabilly americano o convertirte en un artista tan pop como Warhol o tan surrealista como Dalí. O, mejor aún, crear un movimiento que aún no existe y vivir según una ideología inventada por ti mismo. Cualquier cosa que se salga de la normalidad te atrae.

Y si te da la gana de pintarte el pelo de verde y de perforarte y tatuarte el cuerpo hasta que no te quede piel, lo haces.

Pasar desapercibido no va contigo, por eso no te conformas con colgar mil fotos en facebook cuando vas a fiestas en las que te olvidas de tus pulmones, tu hígado y tu cabeza en general, sino que también tienes web, blog, flickr, twitter y todo aquello que te ayude a exhibirte y a decirle al mundo: Sí, soy moderno, ¿y qué?

MODERNADEPUEBLO.COM

f Moderna De Pueblo

🐦 @modernadepueblo

📷 modernadepueblo

🅟 modernadepueblo